D0539335

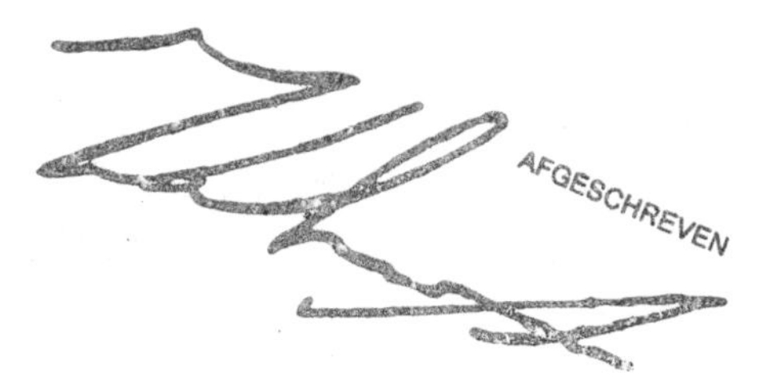
AFGESCHREVEN

Helemaal Fien!

Lees ook de andere boeken over Fien:

Op en top Fien!
Getipt door de Nederlandse Kinderjury 2008

Fien in de hoofdrol
Getipt door de Nederlandse Kinderjury 2009

Harmen van Straaten

Helemaal Fien!

Met illustraties van Georgien Overwater

Pimento

www.pimentokinderboeken.nl
www.harmenvanstraaten.nl
www.deillustratiestudio.nl

Omslagontwerp Petra Gerritsen
Opmaak binnenwerk ZetSpiegel, Best

ISBN 978 90 499 2383 9
NUR 282

Pimento is een imprint van FMB uitgevers,
onderdeel van Foreign Media Group

Inhoud

Helemaal wel

Fien staat op het bruggetje. Iets verderop loopt Bert, haar broer. Ze wonen in de Transvaalstraat. De papa van Fien had eerst geen werk, maar nu wel. Hij is buschauffeur. De mama van Fien werkt bij de C1000. Eerst was ze vakkenvuller, daarna werd ze chef van de afdeling gekoelde waren, en nu is ze hoofd van de supermarkt geworden.

'Straks wordt ze nog de allergrootste baas,' zei Sjoerd. 'Dan kunnen we vast wel gratis snoep krijgen.'

Sjoerd is de beste vriend van Fien. Samen met Juliano hebben ze een piratenschip. Ze noemen zich de 'piraten van de Kariben'.

Fien is de baas, zij heeft het schip ontdekt.

Een auto rijdt voorbij. Achter een van de raampjes zit Peggy. Ze steekt haar tong uit naar Fien en zwaait. Fien kijkt boos terug. Peggy gaat een weekje logeren bij haar tante in Livorno in Italië. In de zomervakantie was ze daar ook.

Peggy vertelde elke dag over haar vakantie in Livorno.

Ze heeft er ook al een spreekbeurt over gehouden. Ze hebben daar heel lekkere mayonaise, vertelde ze. Livorno-mayonaise.

'Kijk maar uit,' zei Fien toen, 'straks krijg je er pukkeltjes van. Wij hebben thuis alleen maar magere mayonaise van de C1000. Mijn mama wil die troep uit Livorno niet.'

'Je bent jaloers!' riep Peggy. 'Jij gaat niet met vakantie en ik lekker wel. Bij het strand in Livorno is een springkussen in het water. En als we daar zijn, gaan we twee keer per dag uit eten.'

'Voor mijn part zak je door dat springkussen,' zei Fien en toen ging de schoolbel.

De auto met Peggy erin verdwijnt om de hoek van de straat.

Fien slikt. Afgelopen zomer is ze niet met vakantie geweest. Omdat haar mama net hoofd van de C1000 was geworden, konden ze niet weg. De hele zomer thuis, dat had zij weer. En nu kunnen ze niet weg omdat de centrale verwarming kapot is gegaan.

'We kunnen toch gewoon een extra warme trui aantrekken,' zei Fien.

'Ik moet er niet aan denken,' zei haar mama. 'Na een jaar afdeling gekoelde waren wil ik alleen nog maar een warm huis.'

'Gaan we dan van de winter naar de wintersport?' vroeg Fien.

'Je wilt me maar steeds weer in de kou hebben,' zei haar moeder. 'Eerst maar eens kijken hoe duur die verwarming wordt, en de keuken is ook al uit elkaar aan het vallen.'

Gingen Sjoerd en Juliano maar met vakantie, dacht Fien somber, dan kon ze met een van hen mee. Maar die gaan ook al niet weg. Hun mama's hebben geen geld.

Bert mag met Mark mee naar het vakantiepark.

Fien pakt een steentje en wil dat in de sloot gooien.

Dan houdt iemand achter haar twee handen voor haar ogen. 'Wat is de wraak van de piraten van de Kariben?' vraagt een zware stem.

'Duizend doodskoppen en een rammelend skelet!' gilt Fien.

Ze bukt en herkent de schoenen van Juliano. Ze trekt

aan een van zijn voeten. Hij rolt naar achteren.

Fien gaat boven op hem zitten en begint hem te kietelen. 'Zeg wie de baas is van de piraten van de Kariben, anders zul je aan de kieteldood sterven.'

'Stop!' smeekt Juliano. Hij hikt van het lachen. 'Ik hou het niet meer.'

'Wie is de grote gevaarlijke piratenbaas van de Kariben? Zeg het, of je zult voor altijd wegrotten op de bodem van de zee.'

Juliano kan bijna niet meer praten van het lachen. 'Help!' roept hij. 'Straks kan ik je niet meer vertellen over onze vakantie.'

'Vakantie?' vraagt Fien verbaasd. 'Wat bedoel je?'

Ze zitten naast elkaar op de brug.

'Wat bedoel je met vakantie? Je mama heeft toch geen geld?'

Juliano knikt. 'Klopt, maar we kunnen toch gaan.'

'Heeft ze een prijs in de Postcodeloterij gewonnen?' vraagt Fien. 'Mijn oom heeft laatst ook al een reis voor twee gewonnen.'

Juliano schudt zijn hoofd. 'We zijn geen lid van de Postcodeloterij.'

'Maar waar gaan jullie dan naartoe?'

'Naar het hotel van mijn tante. Ze heeft haar heup gebroken en nou gaat mama haar helpen. We logeren in de stacaravan, want het hotel zit helemaal vol.'

Fien kijkt sip. 'Als jij ook al weg bent, blijf ik alleen met Sjoerd achter.'

Juliano lacht geheimzinnig. 'Jij mag ook mee,' zegt hij dan. 'Ik mag van mama iemand meenemen.'

Fien springt op. 'Hoezee!' gilt ze. 'De piraten van de Kariben gaan een stacaravan enteren.' Dan trekt ze een ernstig gezicht. 'Ik kan niet mee.'

'Waarom niet?' vraagt Juliano verschrikt.

'Sjoerd,' antwoordt Fien. 'We kunnen Sjoerd niet alleen achterlaten.'

'De caravan is maar heel klein,' zegt Juliano.

'Als Sjoerd niet mee mag, ga ik ook niet mee. Echte piraten zijn trouw aan elkaar. Kunnen we niet met z'n allen in één bed?' zegt Fien. 'Doe je schoenen eens uit.'

'Hoezo?' vraagt Juliano.

'Dan kan ik ruiken of je stinkvoeten hebt. Ik ga echt niet met iemand die stinkvoeten heeft in een bed liggen.'

'Ik ga niet met jou samen in een bed liggen, hoor!' roept Juliano benauwd.

'Ook niet met Sjoerd erbij?'

'De caravan is maar zo groot.' Juliano gebruikt zijn armen om aan te geven hoe groot de caravan is.

'Zo klein?' vraagt Fien. 'Is-ie soms net zo groot als je tante?'

'Misschien ietsje groter,' zegt Juliano.

'Hoeveel keer groter dan je tante?'

Juliano neemt drie grote stappen.

'Is-ie zo lang?' vraagt Fien.

'Nee, zo breed,' antwoordt hij.

'Is je tante ook zo breed?'

'Ietsje minder breed dan mama.'

'Dat is best wel breed,' zegt Fien. 'Misschien kunnen ze samen naar de sportschool en alleen maar wortels eten. Dan worden ze twee dunne rietjes en dan passen we voortaan met z'n allen gemakkelijk in de caravan.'

'Ik weet niet of mijn mama het goedvindt dat Sjoerd meegaat,' zegt Juliano.

'We kunnen hem ook verstoppen,' zegt Fien. 'Dan doen we of hij een verstekeling is die schipbreuk heeft geleden en dan mag hij zich verstoppen bij de piraten van de Kariben.'

'Ik vraag het vanavond wel aan mama,' zegt Juliano.

Fien zit aan tafel. Ze hebben net gegeten. Ze heeft verteld over de stacaravan en de tante van Juliano met haar gebroken heup. En dat ze mee mag logeren, maar dat ze niet kan, omdat Sjoerd niet gevraagd is. Dan gaat de telefoon. Het is de mama van Sjoerd.

Fien hoort haar mama praten.

'Als jij het goedvindt, vinden wij het ook goed,' zegt ze. Dan beëindigt ze het gesprek.

'Dat was de moeder van Sjoerd,' zegt ze tegen Fien. 'Ze vroeg of wij het goedvinden als jij en Sjoerd mee gaan logeren bij de tante van Juliano. Maar jij hebt daar vast geen zin in.'

'Helemaal wel!' gilt Fien. Ze springt op de tafel. Die kraakt.

'Kijk uit!' roept papa. 'Straks zak je erdoorheen. Echt weer iets voor jou.'

'Helemaal Fien!' lacht Fien en ze steekt haar tong uit.

Helemaal weg

Fien zit op de rand van haar bed. Vandaag gaat ze met Sjoerd en Juliano op vakantie. Buiten is het nog donker. Ze is wakker geworden van de klok, die zes keer sloeg.

Naast haar bed staat de tas met kleren en de doos met de auto met afstandsbediening. Die heeft ze gekregen van de palingmeneer, vlak voordat hij naar de palingmevrouw in de hemel ging.

'Moet die auto echt mee?' vroeg mama gisteren.

Fien knikte. 'We gaan tegen elkaar racen. Juliano zegt dat daar vet steile hellingen zijn.'

Ze bungelt met haar benen over de rand van het bed. Was het maar negen uur, dan gingen ze weg. De duivenmeneer die boven op het dak een duiventil heeft, brengt hen weg.

Haar kamer zit vlak onder het dak. In de gang is een dakraam. Zal ze even op het dak kijken? Misschien is de duivenmeneer er om naar zijn duiven te kijken. Ze is nu toch wakker. Ze trekt een warme trui en een broek over haar pyjama heen. Zo blijft ze lekker warm. Dan zet ze de ladder tegen de rand van het dakraam en opent de schuifjes.

Fien staat op het dak. Ze rilt, het is behoorlijk koud.

Dan ziet ze een lichtje branden bij het duivenhok. Ze rent ernaartoe.

'Hoi, duivenmeneer!' roept ze in de deuropening.

'Kijk nou eens,' zegt de duivenmeneer. 'Jij bent er vroeg bij.'

'U ook,' zegt Fien. 'Kon u ook niet slapen vanwege de reis?'

De duivenmeneer moet lachen. Dan ziet Fien allemaal rieten manden. Er zitten duiven in.

'Waarom zijn de duiven ingepakt?' vraagt Fien.

'Omdat ze meegaan voor een wedstrijd,' legt de duivenmeneer uit. 'Vlak bij jullie logeeradres worden de duiven losgelaten.'

'Doen ze dan wie het eerste thuis is?' vraagt Fien.

'Zoiets,' zegt de duivenmeneer.

'Ik ga met Sjoerd en Juliano ook een wedstrijd doen. We hebben alle drie een auto met afstandsbediening. Maar mijn auto is het snelst. Ik heb het nieuwste model. Eerst wilde ik astronaut worden, maar autocoureur lijkt me ook heel leuk. Denkt u dat duiven sneller vliegen dan een raceauto? Ik wil later in een raceauto die sneller gaat dan het geluid.'

De duivenmeneer steekt voor de grap zijn vingers in zijn oren. 'Dat zal een harde knal geven,' zegt hij lachend. 'Een straaljager die harder vliegt dan het geluid geeft harde knallen.'

'Gelukkig dat de duifjes niet zo hard vliegen, hè?' zegt Fien. 'Dan had u knalduiven.'

De duivenmeneer knikt. Hij stopt de laatste duif in een mand en doet daarna het deksel dicht. 'Zo,' zegt hij, 'helemaal klaar voor de reis.'

'Ik ook,' zegt Fien.

De klok slaat zeven uur. Nog maar twee uurtjes en ze gaan weg.

Fien staat bij het busje van de duivenmeneer. Ze helpt hem de laatste mand in de auto te zetten. In de verte komt Juliano met zijn mama aangelopen, en daar hoort ze ook Sjoerd roepen.

Even later staan ze allemaal om het busje.

Juliano's mama mag naast de duivenmeneer. Fien, Sjoerd en Juliano gaan op de achterbank.

De duivenmeneer toetert één keer hard en dan rijden ze eindelijk de Transvaalstraat uit.

Ze zijn al een poosje onderweg. Wat duurt het lang, denkt Fien.

'Zullen we een spelletje doen,' fluistert ze tegen Juliano en Sjoerd.

'Wat voor spelletje?' vraagt Sjoerd.

'Gekke gezichten trekken.'

'Naar wie dan?' vraagt Juliano.

'Naar elkaar,' zegt Fien.

'Eerst ons Nintendo-spelletje afmaken,' antwoordt Juliano.

'Ja, dat eerst,' zegt Sjoerd.

'Dan heb ik geen zin meer,' zegt Fien.

'Jammer de jammer!' roept Sjoerd.

Fien draait zich boos om. Ze zullen nog wel merken wat de wraak van de piratenkoningin is. Die zal heel erg zijn!

Ze drukt haar gezicht tegen het autoraam en trekt een rare mond naar een man in een blauwe jeep. De man moet lachen en trekt een raar gezicht terug.

Fien steekt nu haar tong uit en drukt de zijkant van haar hoofd zo plat mogelijk tegen de autoruit.

Een mevrouw achter het stuur met een zwarte bril en vuurrode lippen kijkt haar boos aan.

Daar rijdt een gele auto. Fien trekt nu haar allergekste gezicht. Ze probeert er ook nog scheel bij te kijken. De bestuurder vindt het helemaal niet zo leuk. Hij tikt met zijn vinger tegen zijn voorhoofd.

Fien stoot Sjoerd aan. Hij en Juliano zijn net klaar. Fien wijst naar de man, daarna steekt ze haar tong naar hem uit.

Sjoerd doet een konijn na. Juliano stopt twee vingers in zijn oren en steekt daarna zijn tong uit.

De man achter het stuur wordt steeds bozer. Hij geeft gas en toetert terwijl hij voorbijrijdt. Hij wijst en maakt een raar gebaar met zijn hand naar de duivenmeneer.

De moeder van Juliano ziet het ook. Ze maakt een boos gebaar terug.

'Sommige mensen weten zich niet te gedragen,' zegt de duivenmeneer hoofdschuddend. 'Ik rijd gewoon honderd kilometer per uur, dat vindt meneer niet snel genoeg.'

'Wat je zegt,' antwoordt Juliano's mama. En tegen Sjoerd, Fien en Juliano zegt ze gauw: 'Als jullie maar weten dat je nooit zomaar naar mensen van die rare gebaren mag maken. Dat kan echt niet, hoor.'

Fien, Sjoerd en Juliano tellen nu de vrachtauto's.

'Gaan we zo stoppen?' vraagt Sjoerd. 'Ik moet heel nodig.'

Fien houdt haar neus dicht. 'Ik ruik het.'

'Ik moet plassen,' zegt Sjoerd boos. 'Je ruikt de duiven.'

'Duivenmeneer,' gilt Fien, 'de duiven laten knalscheten. Kunnen we stoppen? We houden het hier niet meer uit.'

'Bij het volgende tankstation,' zegt de duivenmeneer.

'Ik wil er ook wel even uit,' zegt Juliano's mama. 'Het autorijden komt me de neus uit.'

'Stinkauto,' zegt Juliano.

'Nee, stinkduiven,' zegt Fien lachend.

'Daar is een tankstation!' roept Sjoerd.

Zodra ze bij de tank staan, gooit Sjoerd de autodeur open en rent naar de wc.

Sjoerd, Juliano en Fien staan in de winkel van het tankstation.

Opeens ziet Fien de man van de gele auto. 'Duiken!' roept ze naar Sjoerd en Juliano.

De man staat in een tijdschrift te bladeren.

Fien sluipt langs de chips, met Sjoerd en Juliano achter zich aan.

'We zijn toch piraten?' fluistert ze naar Sjoerd en Juliano.

Die knikken.

'Dan durven jullie vast wel heel hard boe te roepen.'

Ze kijken Fien met grote ogen aan.

'Of durven jullie het niet? Ik wel, hoor.'

Op haar tenen loopt ze naar het hoekje. Dan telt ze tot drie. 'Eén, twee, drie...'

'Boe!' roepen ze alle drie tegelijk.

De man schrikt zo erg dat hij tegen het krantenrek stoot.

Het rek valt om en alle kranten liggen op de grond. Dan ziet hij Fien, Juliano en Sjoerd. Zijn gezicht wordt rood.

'Jullie weer,' zegt hij boos.
Hij wil de arm van Fien beetpakken. Maar de jongen van de winkel komt erbij staan.
'Gratis kranten lezen en de boel omgooien, en dan ook nog drie kleine kinderen de schuld geven.'
De man wordt nu nog roder.
Fien, Sjoerd en Juliano rennen gauw naar de auto.
Fien had nog wel even willen zeggen dat ze helemaal geen kleine kinderen zijn, maar dat kwam nu even niet zo goed uit.

Ze zitten in de auto en kijken gespannen in de richting van de winkel.
'Waar bleven jullie nou toch?' vraagt Juliano's mama.
Fien ziet dat de man van de gele auto nog steeds ruziemaakt met de jongen. Ze hoopt dat ze nu snel wegrijden.
Achter hen toetert een auto. Die wil tanken.
'Ja, ja,' moppert de duivenmeneer. 'We gaan al.'
Hij draait het sleuteltje om, maar de auto start niet. Ze horen alleen een klik en verder niks.
De duivenmeneer probeert het nog een keer, en nog een keer. Maar de auto doet helemaal niks meer...

Helemaal niet

De duivenmeneer start de auto opnieuw. Maar de motor doet helemaal niks meer.

'Heb je de lampen soms aan gelaten?' vraagt Juliano's mama.

'Nee, dat kan het niet zijn,' zegt de duivenmeneer. 'De accu is echt niet leeg doordat de lampen een paar minuten aanstaan. Misschien moeten we de auto even duwen. Wie weet start de motor dan wel.'

'Wat bedoel je, duwen?' vraagt Juliano's mama. 'Toch niet met onze handen, hè? Ik blijf lekker zitten, hoor.'

'Heb je dan een rijbewijs?' vraagt de duivenmeneer. 'Dan zal ik wel duwen, maar dan moet jij de auto starten.'

Juliano's mama schudt haar hoofd.

'Wij kunnen wel duwen, hoor!' roept Fien. 'Voor piraten is dat een karweitje van niks.'

Sjoerd en Juliano kijken haar met grote ogen aan.

'Er is toch niks met jullie spierballen?' vraagt Fien. 'Jullie zijn toch geen neppiraten?'

Sjoerd en Juliano schudden hun hoofd.

'We hebben net gegeten,' zegt Sjoerd. 'Het moet nog zakken, daarna kunnen we duwen.'

'Dan duw ik wel in mijn eentje,' zegt Fien en ze stapt uit. Ze loopt naar de achterkant van de auto. Stel je voor dat de auto het echt niet meer doet en dat ze weer naar huis moeten. Kan ze eindelijk een keer met vakantie, gebeurt er dit!

Fien gaat met haar billen tegen de achterkant van de auto staan en duwt. Maar er gebeurt helemaal niks.

Verderop staan drie mannen met gele hesjes aan.

Fien fluit op haar vingers naar hen. De mannen kijken om zich heen.

Fien fluit nog een keer. Dan zien de mannen waar het gefluit vandaan komt. Ze lachen en fluiten terug.

Fien gebaart driftig met haar arm.

Een van de mannen loopt naar haar toe. 'Wat scheelt er, jongedame?'

Fien wijst naar de auto. 'Hij wil niet starten. Maar als jullie helpen met duwen, lukt het misschien wel.'

De man lacht en roept zijn twee maten.

Ze gaan bij de achterkant van de auto staan.

Fien loopt naar het portier van de duivenmeneer. 'Ik heb hulp geregeld,' zegt ze.

Een van de mannen komt erbij staan. Hij legt de duivenmeneer uit wat hij moet doen als ze de auto duwen.

Sjoerd en Juliano stappen nu ook uit. Sjoerd stroopt zijn mouwen op en Juliano laat zijn spierballen zien.

Fien kijkt ernaar. 'Volgens mij zijn ze weggezakt. Zeker door het eten. Heb je een vergrootglas?'

De mannen zetten zich schrap en beginnen te duwen. Fien, Sjoerd en Juliano helpen gauw mee.

De auto is best zwaar. Hij komt nauwelijks vooruit.

'Misschien kunt u uitstappen,' zegt een van de mannen hijgend tegen Juliano's mama.

'Moet dat?' vraagt ze.

'Als u hier ooit weg wil komen, lijkt me dat wel zo handig.'

Juliano's mama stapt uit en de mannen duwen opnieuw. Nu maakt de auto een beetje vaart.

Een van de mannen gilt iets naar de duivenmeneer, maar de motor zwijgt stil.

De duivenmeneer steekt zijn hoofd door het raam. 'Het lukt niet!' gilt hij naar achteren.

Een van de mannen krabt op zijn achterhoofd en vraagt aan de duivenmeneer of hij de motorkap open wil doen.

De drie mannen buigen voorover en kijken in de motor.

'Het is de startmotor,' zegt nummer één.

'Volgens mij zijn de koppelingsplaten versleten,' zegt nummer twee.

'Volgens mij moet-ie naar de sloop,' zegt nummer drie.

'We kunnen niets meer doen,' zegt nummer één tegen de duivenmeneer. 'U kunt het best de Wegenwacht bellen. Die zorgt ervoor dat de auto wordt weggesleept. Met een beetje geluk bent u vanmiddag weer thuis.'

Fien hoort wat de man zegt. Ze doet een stap naar voren en zegt: 'Wij gaan niet naar huis. Echt niet!'

'Ik ook niet!' roepen Juliano en Sjoerd door elkaar.

'We kunnen niet naar huis,' zegt Fien. Ze wijst naar Juliano. 'Zijn tante heeft haar heup gebroken en nu moeten we naar haar toe. Bovendien is dit onze vakantie. We willen niet naar huis.'

Juliano en Sjoerd gaan op de weg zitten om te laten zien dat het hun menens is. Nu kan niemand er meer langs.

'Wij willen met vakantie!' gillen ze.

Daar komt de man van de gele auto aangereden. Hij heeft een heel slecht humeur. Hij stapt uit zijn auto en wil aan Sjoerd en Juliano trekken.

'Kinderbeul!' gillen ze. 'Kinderbeul! Wij willen alleen maar met vakantie.'

Juliano's mama wil zich ermee bemoeien, maar allerlei omstanders versperren haar de weg.

'Het is een groot schandaal!' gilt een mevrouw tegen de man van de gele auto. 'Hoe kun je je eigen kinderen uit de auto zetten en dan zelf op vakantie gaan?'

'Ze moesten de Kinderbescherming erbij halen,' zegt een oude man. 'Een tehuis is altijd beter dan zo'n vader.'

Sjoerd kijkt Fien verschrikt aan en gaat naast haar staan. 'We kunnen maar beter snel wegwezen,' fluistert hij. 'Straks worden we nog in een tehuis opgesloten.'

Fien knikt. Ze pakt Juliano bij zijn arm en met zijn drieën sluipen ze weg.

De mensen staan nu allemaal om de man van de gele auto heen en merken niet dat de kinderen wegsluipen. Juliano's mama wel. Ze is heel boos. Ze wijst naar de auto van de duivenmeneer. 'In de auto, jullie. Nog één keer zoiets en we rijden meteen terug naar huis.'

'Doet de auto het weer?' roept Fien blij.

'Hoera!' gillen Sjoerd en Juliano.

'Ik bedoel bij wijze van spreken. Bovendien komt de Wegenwacht zo, dus we gaan sowieso naar huis.'

Fien voelt de tranen in haar ogen prikken.

Dan komt een van de mannen naar hen toe. 'We hadden het er even met de duivenmeneer over. We vinden het eigenlijk best wel zielig dat de vakantie nu niet door kan gaan. We moeten toch bij jullie vakantieadres in de buurt zijn, dus als jullie willen, kunnen jullie met ons meerijden. Of gaan jullie liever naar huis?'

'Helemaal niet!' roept Fien. 'We willen helemaal niet naar huis.'

'En de duivenmeneer dan?' vraagt Juliano's mama.

'Die vindt het niet zo erg,' zegt de man. 'Hij is nu toch te laat voor de wedstrijd en de Wegenwacht komt er zo aan.'

Fien, Sjoerd, Juliano en zijn mama halen hun spullen uit de auto van de duivenmeneer en zetten die in het busje van de mannen. Dan stappen ze in en zwaaien naar de duivenmeneer.

De man van de gele auto staat nog steeds ruzie met de omstanders te maken.

'Wat is er toch met die man?' vraagt Juliano's mama.

Fien haalt haar schouders op. 'Ik zou het niet weten,' zegt ze.

Dan rijden ze de snelweg op. Toch nog op weg naar hun vakantieadres.

Helemaal anders

Ze zijn ruim een halfuur onderweg. Juliano's mama praat de hele tijd met een van de mannen.

Fien stoot Juliano aan. 'Volgens mij vindt ze hem leuk,' fluistert ze.

Juliano schudt zijn hoofd. 'Mama zegt dat ik de enige man ben die nog in haar huis komt.'

'Waar is jouw papa eigenlijk?' vraagt Sjoerd.

'Ja,' zegt Fien, 'waar zit hij eigenlijk?'

Juliano haalt zijn schouders op. 'Mama zegt dat hij van haar op een boot naar heel ver weg mag zitten. Als hij maar nooit meer terugkomt.'

'Misschien is de boot van je vader door piraten geënterd,' zegt Fien. 'Misschien moest hij toen kiezen: of piraat worden of op een vlot op zee zonder water. Stel je voor dat ze hem toen vonden op zijn vlot en dat hij niet meer wist wie hij was. Wie weet zoeken ze nu jouw mama, omdat hij nog een foto van jou had met jullie telefoonnummer erop.'

'We zijn verhuisd,' zegt Juliano beslist. 'Mama heeft hem echt geen adreswijziging gestuurd.'

'Je hebt ook een televisieprogramma waarin ze op zoek gaan naar verloren mensen,' zegt Sjoerd. 'Mijn tante heeft er ook een keer aan meegedaan. Ze had op vakantie een vriend en die kon ze weer gaan zien.'

'Gingen ze toen zoenen?' vraagt Fien.

Sjoerd schudt zijn hoofd. 'Hij was heel anders. Hij had geen haar meer en een dikke buik.'

'Na een vakantie?' vraagt Juliano.

'Nee,' zegt Sjoerd. 'Ze had hem al twintig jaar niet gezien.'

Fien lacht. 'Jij hebt over twintig jaar misschien ook een dikke buik, en geen tanden meer, net als mijn oma.'

'Wel!' zegt Sjoerd. 'Ik poets mijn tanden twee keer per dag.'

'Hoor ik dat goed?' vraagt een van de mannen. 'Heb jij net je tanden gepoetst? Dan kun je vast geen poffertjes eten.'

'Wel, hoor!' roept Sjoerd.

Fien ziet een groot bord langs de weg staan. Er staat een enorme schaal met poffertjes op geschilderd. PANORAMA POFFERTJESHOEVE, staat erboven in grote, sierlijke letters.

Fien kan niet wachten tot ze er zijn. Het water loopt haar in de mond.

Juliano's mama kijkt op haar horloge. 'Lieve help,' zegt ze. 'Wat vliegt de tijd als het gezellig is.'

Sjoerd en Fien knikken naar elkaar en daarna naar Juliano.

'Echt niet,' fluistert hij terug.

'Echt wel,' fluistert Fien. 'Ze zijn op elkaar.'

Fien tikt de man op zijn schouder. 'Heb jij vroeger een auto met afstandsbediening gehad? Vind jij piraten stoer? Kun je op je vingers fluiten? Hou je van vissen en voetballen? En vind jij patat lekker, maar dan zonder mayonaise uit Livorno? Want daar heeft Peggy haar spreekbeurt over gehouden. Juliano houdt niet van Livorno-mayonaise, en zijn mama ook niet. Juliano moet ervan overgeven.'

'Helemaal niet!' roept Juliano.

De man kijkt Fien aan. 'Als ik alles met ja beantwoord, win ik dan een prijs?'

'De hoofdprijs!' gilt Sjoerd.

‘Wat is de hoofdprijs dan?’

‘Dat is een verrassing,’ zegt Fien.

‘Mag ik het raden?’ vraagt de man.

‘Liever niet,’ zegt Juliano. ‘We houden het nog even geheim.’

Ze lopen over de parkeerplaats naar de poffertjesboerderij.

Opeens stoot Juliano Fien aan. ‘Kijk eens!’ roept hij.

Fien ziet het ook. Op de parkeerplaats komt de gele auto aangereden. ‘Laten we maar snel naar binnen gaan,’ zegt ze.

Even later zitten ze aan een tafel met een rood-wit geblokt kleedje.

Fien eet poffertjes tot ze niet meer kan. Als ze klaar is, schuift ze haar bord van zich af. ‘Mogen we daar vanaf rennen, voordat we verder gaan?’ vraagt ze en ze wijst naar een zandheuvel buiten.

‘Van ons mag het,’ zegt een van de mannen. ‘We hebben nog wel even de tijd. Ik vind het wel gezellig.’

Fien, Sjoerd en Juliano staan buiten.

‘Volgens mij zijn ze alle drie op je moeder,’ zegt Fien.

‘Ik hoop het niet,’ zegt Juliano.

'Straks gaan ze nog vechten om je moeder. Dat doen piraten ook. Of om haar gokken, met dobbelstenen.'

'Hoe weet je dat?' vraagt Sjoerd.

'Papa heeft een dvd over piraten. Daar heb ik het zelf op gezien.'

Juliano wordt een beetje bleek. 'Gaan we nog naar beneden rennen?' vraagt hij.

'Wacht even,' zegt Fien.

'Waarop?' vraagt Sjoerd.

'Wie wint, mag de anderen een opdracht geven,' zegt Fien.

'Goed,' zeggen Juliano en Sjoerd.

Juliano trekt met de punt van zijn schoen een streep in het zand. 'Wie het eerst bij de boom met de schommel is.' Hij wijst naar een boom onder aan de zandheuvel.

Ze gaan klaarstaan en Sjoerd roept: 'Klaar voor de start, af!'

Met grote sprongen rennen ze alle drie de heuvel af.

Buiten adem tikt Fien de boom aan. 'Gewonnen!' wil ze roepen. Maar Juliano is net ietsjes eerder.

Sjoerd is derde.

'Nu mag ik een opdracht voor jullie verzinnen,' zegt Juliano trots.

Maar voor hij verder iets kan zeggen, horen ze Juliano's mama roepen.

'Komen jullie er zo aan?' gilt ze vanaf de zandheuvel. 'We gaan over tien minuutjes weg.'

Fien, Sjoerd en Juliano lopen de heuvel op en gaan naar de parkeerplaats.

'Ik weet een opdracht,' zegt Juliano. Hij wijst naar de gele auto en grijnst.

Sjoerds gezicht betrekt. 'Nee, hè.'

'Je bent toch een piraat?' zegt Juliano.

Sjoerd knikt.

'Kom,' zegt Fien. 'Ik weet wel iets.' Ze trekt Sjoerd mee naar een rode auto. Op de achterkant is een stuk papier geplakt. PASGETROUWD, staat erop.

Fien trekt het vel papier los. Ook de ballonnen die aan de antenne hangen haalt ze los.

'Vlug,' zegt ze. Op de achterkant van de gele auto plakt ze het vel. De ballonnen bindt ze vast aan de bumper en schuift ze dan onder de auto.

'Jammer dat we geen blikjes hebben,' zegt ze.

Sjoerd loopt naar een prullenbak. 'Kijk eens!' roept hij even later trots. In zijn hand houdt hij een touw met blikjes. 'Toen we aankwamen, zag ik iemand die blikjes daarin doen.'

'Je wordt een steeds betere piraat,' zegt Fien.
Snel bindt ze ook de blikjes vast aan de bumper en trapt ze onder de auto.
Dan rennen ze terug naar Juliano.
Op dat moment komen Juliano's mama en de drie mannen aan.
De bestuurder van de gele auto is er ook. Hij stapt in zijn auto.
Fien, Sjoerd en Juliano houden hun adem in.
De man start de auto en met veel lawaai rijdt hij langs.
Hij kijkt uit het raampje om te zien waar het geluid vandaan komt.
'Gefeliciteerd!' roept Fien.
'Fijne huwelijksreis!' roept Juliano's mama hem nog na. 'Het is net of ik hem al eerder heb gezien,' zegt ze dan. 'Waar is zijn bruid trouwens?'
'Kom,' zeggen de mannen, 'we gaan weer.'

Ze rijden de parkeerplaats af en gaan richting de snelweg.
Vlak voor de oprit zien ze de man met de gele auto. Hij trekt met een boos gezicht het papier en de ballonnen van zijn auto.
'Niet zo gelukkig getrouwd,' zegt een van de mannen.

'Ik ken er meer,' zegt Juliano's mama.

'De eerste keer is om te leren,' zegt de man naast haar. 'De tweede keer gaat het altijd beter.'

Fien steekt haar duim op naar Juliano. 'Ik kan niet wachten totdat we bij het hotel zijn!' roept ze. 'Ik ben benieuwd naar de gasten.'

'Jullie mogen ze elke dag uitlaten,' zegt Juliano's mama.

'Is het een bejaardenhotel?' vraagt Fien. 'Kunnen we leuk in hun karretjes racen.'

'Heeft Juliano het jullie niet verteld? Het is een dierenpension, waar mensen hun honden en katten tijdelijk kunnen laten logeren.'

Fiens mond valt open van verbazing. De vakantie wordt met de minuut leuker!

Helemaal niet eng

Fien schuift onrustig heen en weer op de achterbank van de auto. Waren ze er maar. Ze kan niet wachten om al die lieve dieren te zien. Mocht ze thuis maar een hond. Maar papa zegt dat ze aan haar hun handen vol hebben. En mama wil geen hondenharen in huis. 'Als het geregend heeft, ruikt het hele huis naar natte hond,' zegt ze altijd.

Jammer dat papa en mama niet van dieren houden.

Het enige beest in huis is de goudvis in de kom op haar kamer. Maar daar valt niks mee te beleven.

Ze had ook een keer een duif van school te logeren gehad, maar die was door de openstaande balkondeur naar buiten gevlogen toen ze hem eventjes uit de kooi had gelaten. Gelukkig had de duivenmeneer nog een duifje over. De juf vond de duif er prachtig uitzien. 'Je kunt zien dat je goed voor dieren kunt zorgen,' had ze gezegd.

Fien schrikt op van de stem van Sjoerd.

'We zijn er slaapkop!' gilt hij in haar oor.

Ze springen uit de auto.

Fien ziet een grote, houten huis met een rieten dak. Naast de ramen hangen houten luiken. In de modder scharrelen wat kippen. Ze pikken naar iets op de grond. 'Het lijkt hier net het huis van Hans en Grietje,' zegt ze.

Naast het huis staat een enorme boom. Aan een tak hangt een koord met allerlei knopen erin.

'Wat is daar?' vraagt Fien aan Juliano en wijst naar de boom.

'Een boomhut,' zegt hij trots.

'Een kraaiennest,' verbetert Fien hem. 'Piraten zitten niet in boomhutten. Wel in kraaiennesten, boven in de mast van hun schip.'

De deur van het huis gaat open en een vrouw in een rolstoel rijdt naar buiten. 'Hé hé, ik begon al te denken dat jullie nooit zouden komen.'

'Hou op, schei uit,' zegt Juliano's mama. Ze vertelt over de kapotte auto van de duivenmeneer en dat deze drie mannen zo aardig waren om hen te brengen.

Een van de mannen kijkt op zijn horloge. 'We moeten nu echt weg, anders komen we nooit bij onze klus aan,' zegt hij.

Ze halen de tassen van Fien, Sjoerd, Juliano en zijn mama uit het busje en stappen in.

'Tot volgende week, Sylvana,' zegt een van de mannen.

'Tot volgende week, Marco,' zegt Juliano's mama.

De auto start en rijdt langzaam het terrein af.

Fien, Sjoerd en Juliano zwaaien tot de auto om de hoek verdwijnt.

'Wat bedoelt Marco met "tot volgende week"?' vraagt Fien nieuwsgierig.

Juliano's mama verslikt zich bijna. 'O, niks bijzonders, hoor. Hij heeft aangeboden ons terug te brengen. Hij moet hier dan toch in de buurt zijn. Niks bijzonders, net wat ik zeg.' Dan draait ze zich om en duwt tante Marjes in de rolstoel naar het huis.

Fien stoot Juliano aan. Met een vinger tekent ze een hartje in de lucht en Sjoerd blaast er kusjes naartoe.

Julliano trapt nijdig tegen een steentje. 'Ik neem later nooit verkering,' zegt hij.

Fien pakt Sjoerd en Juliano bij hun hand. 'Maar met mij willen jullie toch wel verkering? En dan gaan jullie als echte piraten om mij vechten. Dat lijkt me helemaal leuk.'

'Helemaal niet!' gillen Juliano en Sjoerd. Ze doen alsof ze rillen van de schrik.
Dan rennen ze met zijn drieën naar binnen.

Het is al donker buiten. Ze hebben laat gegeten.
'Fijn dat jullie er zijn,' zegt tante Marjes. 'Dat ik mijn heup brak, is pech, maar ik had gelukkig hulp van mijn rechterhand Piet. Maar die moest naar Zwitserland omdat zijn moeder onverwachts in het ziekenhuis werd opgenomen. Ik wist me geen raad. Terwijl nu net de vakantie begonnen is en iedereen zijn dieren bij mij brengt. Gelukkig dat jullie me komen helpen.' Ze kijkt op haar horloge. 'Lieve help, is het al zo laat? Het is al halftien!' roept ze.
'Nee, hè,' zegt Juliano's mama. 'Het is al lang tijd om te gaan slapen. Morgen wordt een heel drukke dag.'

Het is donker in de stacaravan. Fien hoort Sjoerds en Juliano's rustige ademhaling. Het gesnurk van Juliano's mama klinkt door de dunne wand van de caravan heen. Ze snurkt net zo hard als Fiens papa. Mama zegt dat papa nog meer geluid maakt dan een houtzagerij.
Fien gaat op haar matras staan. Het gordijn schuift ze

een beetje opzij. De maan verlicht het grasveld. Het gesnurk houdt op.

Misschien dat ze nu kan slapen, voordat het snurken weer begint.

Opeens ziet ze iets bewegen. Een struik gaat heen en weer. Er is daar iemand. Ze weet het zeker.

Ze maakt Juliano wakker. Hij wrijft in zijn ogen.

'Ssst,' zegt Fien. 'Er loopt iemand over het terrein.'

'Wie zou dat kunnen zijn?' vraagt Juliano slaperig.

'Misschien een inbreker,' zegt Fien.

Dan horen ze het geluid van een huilende hond.

'Het is gewoon een van de honden,' zegt Juliano.

'Niks, hoor! Die zitten in hun kooi.'

'O ja,' zegt Juliano. 'Nou ja, een zwerfhond dan. Een inbreker zal het vast niet zijn. Volgens mama is tante Marjes heel arm. Dat zullen de inbrekers ook wel weten.'

De hond gaat weer huilen. Fien pakt Juliano bij zijn arm.

'Kijk eens.' Ze wijst. 'Het is vollemaan.'

'Nou en,' fluistert Juliano.

'Als het vollemaan is, komen de weerwolven tevoorschijn.'

'Weerwolven bestaan niet,' zegt Juliano.

'Hoe weet jij dat nou?'
'Van mama.'
'Volgens Bert bestaan ze wel. Hij heeft er al heel veel boeken over gelezen. Ze komen met vollemaan tevoorschijn, en als je door ze gebeten wordt...'
'Nou, wat dan?'
'... dan verander je ook in een weerwolf.'
'Het is een doodgewone hond,' zegt Juliano.
'Misschien kun je even kijken?' vraagt Fien.
'Als jij het zo goed weet, doe je het zelf maar. Of vind je het soms eng?'
'Ik vind het helemaal niet eng! Maar als ik toch al weet dat het een hond is, hoef ik ook niet meer te kijken.'
'Volgens mij ben je gewoon een bange piraat,' zegt Juliano.
'Echt niet!' Fien wijst naar haar ogen. 'Ik ben nachtblind. Ik zie helemaal niks in het donker.'
'Net kon je nog wel iets zien.'
'Het kan zomaar opkomen. Mama heeft het met hooikoorts. Zo is er niks aan de hand, en zo is ze snipverkouden. Misschien dat we morgen overdag iets zien.'
'Weerwolven leven toch altijd 's nachts?'

'Deze misschien niet. Het kan een andere soort zijn. Je hebt toch ook veel verschillende honden.'

'Ik ga slapen,' zegt Juliano zuchtend.

Fien gaat ook weer liggen. Morgen gaan ze de honden kammen, wassen en uitlaten. Helemaal leuk.

Dan valt ze eindelijk in slaap.

Helemaal niet bang

Fien wordt wakker van de zon die tussen de gordijnen door prikt.

Ze staat op en port Sjoerd en Juliano in hun zij. 'Opstaan, luiwammesen!' roept ze.

Juliano en Sjoerd wrijven in hun ogen.

Sjoerd geeuwt. 'Hoe laat is het eigenlijk?'

Hij wil zich weer omdraaien, maar Fien trekt het dekbed van hem af.

'Piraten slapen niet uit. Piraten zijn altijd vroeg op. Die staan altijd klaar voor een nieuwe dag en een nieuw avontuur.'

'Piraten hebben ook hun rust nodig,' zegt Juliano. 'Hoe is met de weerwolven? Houden ze de caravan nog steeds omsingeld?'

'Weerwolven!' roept Sjoerd. 'Daar heb je niks over verteld, Juliano. Eerst gingen we naar een hotel, toen naar een dierenpension, en nu zitten we in een griezelbos.' Sjoerd slaat zijn armen over elkaar. 'Ik heb zo geen zin in deze vakantie. Als hier weerwolven in een kooi zitten, ga ik naar huis.'

'Je gelooft toch niet echt dat weerwolven bestaan?' vraagt Juliano.

Sjoerd kijkt naar Fien en dan naar Juliano. 'Ik maakte maar een grapje,' zegt hij gauw. 'Ik wilde weten of jullie erin zouden trappen.'

Fien staat al bij de deur van de caravan. Ze heeft haar kleren aangetrokken zonder zich te wassen. Mama is er nu toch niet om haar te controleren.

Juliano's mama is ook al wakker. Samen met Fien loopt ze naar het huis van tante Marjes. Voor hen schieten wat kippen weg.

'Ik vind het fijn voor jou,' begint Fien.

'Wat bedoel je?' vraagt Juliano's mama verbaasd.

'Dat je weer vaste verkering hebt.'

Juliano's mama verslikt zich.

'Als je verkering hebt, ben je weer als nieuw, zegt mijn mama altijd. Dat komt door de liefde. Daarom wil ik een eigen hond. Want ik hou heel van honden en dan ben ik ook weer als nieuw. Mag ik trouwens bruidsmeisje zijn? Peggy is het ook geweest.'

Juliano's mama lacht. 'Je bent me er eentje. Je bent...'

'... helemaal Fien,' vult Fien haar aan.

Fien, Sjoerd en Juliano helpen een verzorgster met het voeren van de honden. De honden springen tegen de hekken op als ze hen horen aankomen.

'Gaan we ze straks uitlaten?' vraagt Fien.

'Ja,' zegt de verzorgster. 'Zodadelijk gooi ik ze er allemaal uit.'

'Zal ik dan die kleintjes doen?' vraagt Fien.

'Ben je bang voor die grote honden?' plaagt Juliano haar.

'Ja,' zegt Sjoerd, 'hoe zit dat eigenlijk? Waarom wil jij die grote honden niet uitlaten? Je bent toch een piraat? Die zijn nergens bang voor.'

Fien zet boos haar handen in de zij. 'Ik ben al langer piraat dan jullie, dus ik hoef niks te bewijzen. Ik ben toevallig beter in kleine dan in grote honden. Maar als jullie te bang zijn voor die grote honden, doe ik het wel, hoor.'

Fien loopt naar de verzorgster. 'Heb je wel genoeg riemen?'

De verzorgster kijkt haar vragend aan. 'Riemen?'

'Om de honden uit te laten,' legt Fien uit.

De verzorgster lacht. 'Welnee, we laten ze los op het grote grasveld achter het hek. Dan kunnen ze de hele dag buiten spelen. Je kunt moeilijk honderd honden tegelijk uitlaten. Je zou het hele dorp door worden gesleurd als ze een poes zagen.'

Fien grijnst en legt haar vinger tegen haar lippen. 'Niks tegen de jongens zeggen,' fluistert ze.

De verzorgster geeft haar een knipoog.

'Hebben jullie schoenen met noppen bij je?' vraagt Fien even later aan Sjoerd en Juliano.

'Waarom?' vraagt Juliano.

'Nou, er zijn te veel honden om ze allemaal apart uit te laten. Je moet minstens tien honden tegelijk meenemen. Als die honden jullie door het bos sleuren, moet je goed met je noppen in de grond gaan staan.'

'Misschien kunnen we net als Fien eerst met de kleine honden oefenen,' zegt Juliano gauw.

'Ja, dat is een goed idee,' zegt Sjoerd. 'Daarna komen de grote honden wel een keer aan de beurt. Volgende week of zo. O nee, dan zijn we er niet meer. Hé, dat is nou jammer.'

'Precies, zo had ik het ook gedacht!' roept Juliano.

'Nou, dan moeten Fien en ik de grote honden maar gaan doen,' zegt de verzorgster. Ze loopt met Fien naar de hokken en opent een van de deuren. Een hond zo groot als een veulen komt eruit. Hij rent langs Juliano en Sjoerd, die met hun rug tegen de heg aan gedrukt staan. Er komen steeds meer grote honden uit de kooien gerend.

Sjoerd durft bijna niet meer te kijken.

'Kom maar!' roept Fien naar een grote hond. 'Kom maar bij het baasje.' En dan tegen Sjoerd en Juliano: 'Joe-hoe! Zien jullie wel dat ik een echte piraat ben? Ik ben helemaal niet bang voor die hondjes.' Ze opent het hek. 'Kijk maar, ik laat ze allemaal uit.'

De honden rennen het veld op. Als de laatste hond er ook is, doet Fien het hek dicht.

Sjoerd en Juliano kijken een beetje zuur.

'Doen jullie de kleine hondjes?' vraagt Fien.

Het is al laat als ze in bed liggen. Vanmiddag hebben ze nog geholpen de hokken schoon te maken. Fien mocht ook een puppy de fles geven, omdat zijn mama niet genoeg melk heeft.

Het is maar goed dat haar broer Bert dat niet zag. Dan had hij haar voor 'poppenmoeder' uitgescholden.

Ze hebben ook nog geracet met hun auto's met afstandsbediening.

Keihard gingen de autootjes. Misschien dat ze later coureur, astronaut én dierenarts kan worden. Dat zou pas echt leuk zijn!

Midden in de nacht wordt ze wakker. Ze hoort het gehuil van gisternacht weer. Juliano en Sjoerd hebben het ook gehoord. Ze zitten rechtop in bed.

Fien kijkt uit het raam.

'Daar is je weerwolf weer,' zegt Juliano.

'Dat was toch een grapje?' vraagt Sjoerd benauwd. 'Ze zitten hier toch niet echt?'

'Ssst,' zegt Fien. 'Kijk daar loopt iets. Het is een hond.'

Juliano en Sjoerd kijken nu ook uit het raam.

Ze zien een hond die mank loopt.

'Hij is gewond!' roept Fien. 'We moeten hem redden!' Ze trekt gauw haar gympen aan. 'Kom gauw, voordat hij weg is.'

Als ze buiten zijn, zien ze de hond niet meer. Het is heel donker.

‘Morgen gaan we hem lokken,’ zegt Fien beslist. ‘Hij heeft vast heel erge honger. Misschien is het een zwerfhond. Dan gaan we hem redden en nemen we hem mee naar huis.’

‘Bij wie moet hij dan logeren?’ vraagt Sjoerd.

‘Dat zien we dan wel weer,’ antwoordt Fien.

Ze lopen terug naar de caravan en stappen weer in bed. Fien kan niet meteen in slaap vallen. Ze moet de hele tijd aan de manke hond denken. Zullen ze hem morgen vinden?

Helemaal geslaagd

Het is ochtend. Fien, Sjoerd en Juliano zitten in de boomhut.

Ze hebben het touw opgehaald. Dan kan niemand naar boven komen en ze afluisteren.

'Hoe zullen we de hond vangen?' vraagt Fien.

Sjoerd denkt na. 'We graven eerst een kuil, leggen daar takken overheen en daarover weer blaadjes. Dan zetten we er een bak met heerlijke hondenbrokjes op. De hond gaat ernaartoe en zakt door de takken in de kuil. Klaar is Kees.' Sjoerd wrijft tevreden een paar keer in zijn handen.

'Hoe gaan we de kuil dan graven?' vraagt Fien. 'Iedereen kan ons zien. Dan verraden we onszelf en vangen we Blackie nooit.'

'Blackie?' vraagt Juliano. 'Wie is dat?'

'Zo heet de hond,' zegt Fien.

'Maar het is toch ook onze hond?' vraagt Sjoerd.

'Ik heb hem als eerste gevonden,' zegt Fien. 'Dan mag ik ook zeggen hoe hij heet.'

‘Maar misschien is hij helemaal niet zwart, maar bruin of zo. Dan kun je hem beter Brownie noemen,’ zegt Juliano.

‘Ik weet zeker dat hij zwart is, met een witte vlek in zijn hals,’ zegt Fien. ‘Zo’n hond heb ik altijd al willen hebben. Net zoals de hond van die drie kinderen op de tv. Die waren hun schapen kwijt en toen moesten ze ze gaan zoeken. Maar ze raakten verdwaald en het ging nog stormen ook. Ze moesten voor de bliksem schuilen. Maar hun hond was slim en vond de kinderen en de schapen terug. Zo’n hond wil ik ook.’

‘Misschien kunnen we vanavond een bak met eten bij de caravan zetten,’ bedenkt Juliano. ‘Dan verstoppen we ons achter de caravan en gooien een kleed over hem heen. Daarna doen we hem een halsband om en maken die vast aan een riem. Klaar is Kees.’

Fien wil net vragen waar ze de hond gaan verstoppen als ze beneden hen een auto horen aankomen.

Een portier wordt opengedaan en ze horen een bekende stem.

Fien, Sjoerd en Juliano kijken elkaar vol ongeloof aan en gluren dan door de takken naar beneden. Daarna kijken ze elkaar weer aan.

‘Krijg nou wat!’ fluistert Sjoerd.

Beneden staat de bestuurder van de gele auto. Hij ziet er heel boos uit.

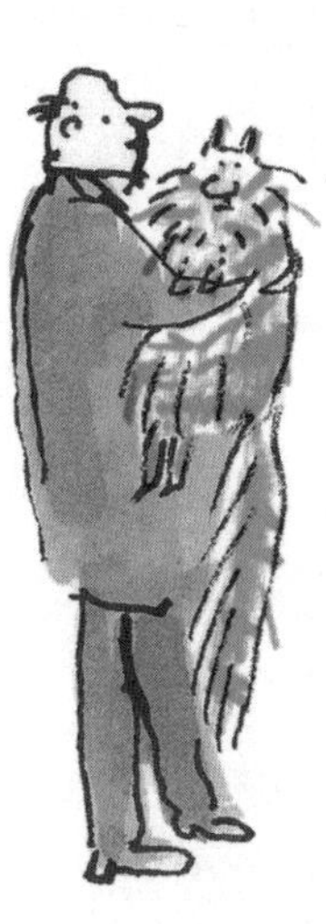

De hondenverzorgster komt naar buiten gelopen. 'Waarmee kan ik u helpen, meneer? We zitten deze week helemaal vol. Alleen voor katten hebben we nog een plekje over.'

De man van de gele auto praat met overslaande stem. 'Jullie hebben mijn hond gestolen!' gilt hij. 'Hij is al twee maanden zoek. De buren van verderop zeggen dat ze hem hier hebben gezien.'

Fien knijpt in Sjoerds arm van schrik. Voordat hij hard au kan roepen, houdt Juliano gauw zijn hand voor Sjoerds mond.

'Wij hoeven toch geen honden te stelen als mensen ze zelf komen brengen om bij ons te logeren,' zegt de verzorgster verbaasd.

'Het is toevallig een heel kostbare hond van een heel zeldzaam ras,' gaat de man verder.

Fien kan zich bijna niet inhouden. 'We moeten de hond redden,' fluistert ze. 'Hij is vast weggelopen omdat zijn baasje een hondenmepper is. Arme Blackie.'

Ze gluren over de rand van de boomhut. De man van de gele auto wordt steeds bozer. Hij wil zelfs de politie erbij halen als hij zijn hond niet meteen terugkrijgt.

Dan zien ze Juliano's mama het huis uit komen.

'Hallo, meneer,' zegt ze tegen de man. 'Ik herken u van de pannenkoekenboerderij. Bent u alweer terug van uw huwelijksreis? U bent helemaal niet lang weggebleven. Komt u uw hond of poes ophalen?'

De man van de gele auto begint te stotteren van woede. 'Ik k-ken u ook. Uw drie k-kinderen lopen steeds geintjes met mij uit te halen. Zij hebben vast mijn hond gestolen. Maar dat pik ik niet. Ik laat de politie onderzoek doen.'

Nu wordt Juliano's mama boos. 'In de eerste plaats heb ik maar één kind. In de tweede plaats stelen mijn kind en zijn vrienden niet.'

Ze gaat tegenover de man staan. Hij wordt een beetje bang en loopt terug naar zijn auto.

'Ik krijg jullie wel!' roept hij. Dan stapt hij in en geeft flink gas. De kippen op het erf vliegen opzij voor de wegrijdende auto.

'Best wel handig dat jouw mama zo groot en dik is,' zegt Sjoerd tegen Juliano.

Het is pikdonker als Juliano, Fien en Sjoerd uit de caravan sluipen. Ze hebben een bak eten bij zich en Juliano heeft uit het berghok een halsband en een riem gehaald. Sjoerd houdt zijn slaapzak onder zijn arm. Die kunnen ze over de hond heen gooien.

'Jullie hebben toch niks met die weggelopen hond te maken?' had Juliano's mama nog tijdens het avondeten gevraagd.

'Welke hond?' had Fien gezegd.

'Eigenlijk mag je niet liegen,' zei Sjoerd toen ze later weer met zijn drieën waren.

'Heeft iemand mij horen liegen?' vroeg Fien toen. 'Ik heb alleen maar gevraagd: "Welke hond?"'

Door het open raam horen ze Juliano's mama snurken.

'Misschien snurkt Marco ook,' zegt Fien zachtjes lachend. 'Dan krijg jij van mij oordopjes als ze met elkaar trouwen.'

'Echt niet,' bromt Juliano.

Ze zetten het bakje met de hondenbrokken voor de caravan. Dan gaan ze om de hoek staan.

'Nou maar hopen dat-ie komt,' zegt Sjoerd.

Ze staan al een tijdje te wachten. Fien heeft een slaapvoet en huppelt op en neer.

'Duurt het nog lang?' vraagt Sjoerd. Hij gaapt.

Dan horen ze iets in de struiken.

'Ssst,' zegt Fien zachtjes. 'Dat zal hem zijn.' Voorzichtig gluurt ze om het hoekje. Snel trekt ze haar hoofd weer terug. Ze houdt haar adem in.

Sjoerd wil al met zijn slaapzak naar voren lopen, maar Fien kan hem nog net op tijd tegenhouden.

Voor de caravan staat de man van de gele auto met een zaklantaarn. En hij kijkt helemaal niet vriendelijk...

Helemaal goed

Het is ochtend en ze zitten aan het ontbijt. Fien voelt aan haar neus. Gisteravond voelde die ijskoud aan. Gelukkig is hij nu weer warm.

Het leek wel uren te duren voordat de man van de gele auto gisteravond wegging. Hij bleef maar rondlopen met zijn zaklantaarn. Toen hij eindelijk wegreed in zijn auto, kroop ze verkleumd en met kramp in haar grote teen in haar slaapzak. De hond was niet meer gekomen. Het bakje met eten was vanochtend nog vol toen ze uit de caravan kwam.

Sjoerd niest twee keer achter elkaar.

'Gezondheid!' roept Juliano's mama.

Juliano zit nog steeds een beetje te rillen van de kou.

'Wat zijn jullie stil,' zegt tante Marjes. 'Hebben jullie zo slecht geslapen?'

Sjoerd knikt. 'We hebben uren...'

'... achter muggen aan gejaagd,' valt Fien hem in de rede.

'Goh, ik heb nergens last van gehad,' zegt Juliano's mama.

'Door jouw gesnurk heb je ze onze kant uit geblazen,' zegt Juliano.

De hondenverzorgster komt binnen. 'Ik heb een verrassing,' zegt ze.

'Wat dan?' vraagt Fien.

'Kom maar mee,' zegt de hondenverzorgster geheimzinnig.

Ze lopen met zijn allen naar het schuurtje achter de hondenhokken. Tante Marjes rijdt mee in haar rolstoel.

'Kijk,' zegt de hondenverzorgster.

In de hoek tussen wat oude lappen ligt een zwarte hond.

'Blackie!' roept Fien blij. Ze wil naar hem toe lopen en hem aaien, maar de hondenverzorgster houdt haar tegen. 'We moeten haar even met rust laten.'

Fien kijkt haar verbaasd aan. Haar? Hoe weet ze nou dat het een vrouwtje is?

De hondenverzorgster ziet haar vragende blik en wijst naar de hond. 'Ze is net mama geworden, vandaar,' zegt ze.

Dan ziet Fien de puppy's.

'Ik tel er wel vijf,' zegt Juliano.

'O, jee,' roept Sjoerd. 'We kunnen moeilijk zes honden meenemen.'

Juliano's mama kijkt hem streng aan. 'Hoe bedoel je, we kunnen moeilijk zes honden meenemen?'

Juliano, Sjoerd en Fien staren naar de grond.

Ook tante Marjes wil weten wat er aan de hand is. 'Hebben jullie deze hond soms eerder gezien?'

Dan vertelt Fien over gisteravond. Dat ze uren met hun voeten in het koude gras hebben gestaan, omdat ze de hond wilden redden van de man van de gele auto. Omdat ze dachten dat hij de hond had mishandeld.

'Hoe kwamen jullie daar nou bij?' vraagt tante Marjes.

'Omdat Blackie een beetje mank liep,' zegt Sjoerd.

'Mag ik vragen bij wie de hond had moeten logeren?' vraagt Juliano's mama.

Juliano wijst voorzichtig naar haar.

'Mama mia!' roept ze terwijl ze naar haar hoofd grijpt. 'Je neemt een paar kinderen mee op vakantie naar een honden- en kattenpension en voor je het weet zijn ze veranderd in een paar hondenontvoerders.'

De hondenverzorgster heeft een deken gehaald en bij de moederhond en pups neergelegd. 'We moeten maar even zien hoe we ze binnen krijgen,' zegt ze terwijl ze naar de lucht kijkt. 'Voorlopig is het droog.'

'Ik ga die man bellen,' zegt tante Marjes. 'Dan moeten jullie maar je excuses aanbieden.' Ze keert haar rolstoel en rijdt terug naar het huis.

Fien grijpt naar haar buik. 'Ik voel me helemaal niet zo lekker.'

'Ik ook niet!' roept Juliano.

'Ik geloof dat ik ook ziek word,' zegt Sjoerd.

Juliano's mama voelt aan hun voorhoofd. 'Hm, dat wordt de rest van de week in bed. We hebben er geen zin in om aangestoken te worden door jullie. Jammer van de gegrilde kip en appelmoes van vanavond. Maar dan hebben tante Marjes en ik meer.'

'Het gaat al een stuk beter, hoor!' roept Sjoerd.

'Met mij ook,' zegt Juliano snel.

Fien kijkt hen nijdig aan.

'En jij?' vraagt Juliano's mama.

'Gaat wel,' zegt Fien. 'Het was een heel korte griep. Het komt en gaat. Mijn mama heeft dat ook.'

Dan horen ze allemaal het geluid van een auto. Ze kijken om en zien een gele auto het erf op rijden.

De man stapt uit en wil bij het huis aanbellen. Dan ziet hij Fien, Sjoerd en Juliano staan.

'Jullie!' zegt hij met luide stem, terwijl hij naar hen wijst. Hij kijkt bozig.

'Jullie mogen wel heel gauw sorry zeggen tegen deze meneer,' zegt Juliano's mama.

'Sorry,' zeggen ze alle drie zachtjes.

Juliano's mama houdt haar hand bij haar oor. 'Wat zeg je? Ik heb niks gehoord, hoor.'

'Sorry,' zeggen ze, nu veel harder.

'Vooruit,' zegt de man van de gele auto. 'Ik ben heel blij dat de hond weer gevonden is. Eva zal er ook blij mee zijn.' Hij loopt naar de achterkant van de auto. 'De hond was geschrokken van een auto met een klapband. Dat was alweer twee maanden geleden. Sindsdien was ze spoorloos.'

Hij opent de achterdeuren van de auto en bevestigt twee aluminium planken aan de achterkant.

'Kom maar,' zegt hij dan.

Ze zien een meisje in een rolstoel langzaam de auto uit rijden.

De man duwt haar naar de voorkant van de auto.

'Hoi,' zegt het meisje. 'Ik ben Eva. Gaan we nou naar Bella, papa?'

Even later staan ze met zijn allen om Bella en de puppy's heen.

Bella staat even op en loopt naar Eva toe. Ze legt haar voorpoten op Eva's knieën en likt haar in het gezicht.

Eva omhelst haar. 'Ik heb je zo gemist, Bella.'

Fien krijgt een brok in haar keel. Ze loopt naar Eva en steekt haar hand uit. 'Ik ben Fien. Mag ik je kar een keer duwen? Daar ben ik heel goed in. De palingmevrouw, mijn vriendin, zat ook in een kar. Haar benen deden het niet meer. Nu zit ze in de hemel. Doen jouw benen het ook niet meer?'

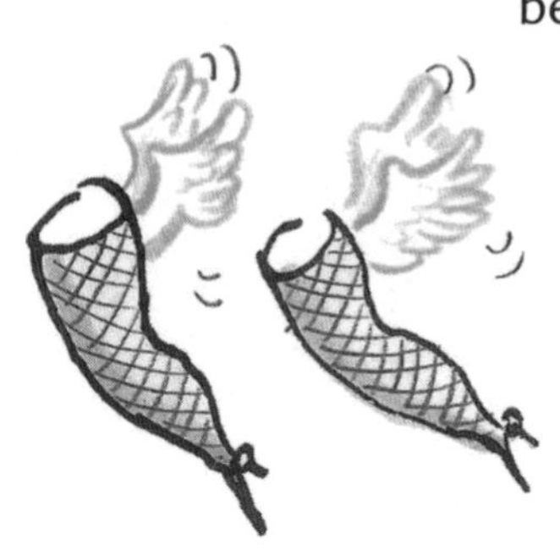

'Ze doen het nog wel een beetje, hoor,' zegt Eva lachend. 'Gelukkig wel!'

Ze staan bij de auto en nemen afscheid van Eva en haar vader. Het is beter dat Bella nog even blijft tot de puppy's wat groter zijn.

'Had jij dat bord met "pasgetrouwd" op de auto geplakt?' vraagt Eva.

Fien wijst naar Sjoerd en Juliano. 'Wij met z'n drieën.'

'Mijn papa kon er niet om lachen, maar ik wel, hoor. Tot morgen,' zegt ze nog.

Dan rijden Eva en haar vader weg.

Fien ligt in bed. Morgen komt hun nieuwe vriendin weer. Wie weet wil zij ook wel piraat worden. Met zijn vieren is nog leuker.

Ze voelt zich helemaal goed. Dan valt ze in slaap.

Helemaal blij

Fien, Sjoerd en Juliano zitten te wiebelen op hun stoelen. Straks gaan ze weer naar de puppy's kijken.

'Vandaag komt Debbie,' zegt tante Marjes.

'Wie is dat?' vraagt Fien.

'Debbie heeft een trimsalon.'

'Gaat ze sporten met de honden?' vraagt Sjoerd. 'Ze mogen toch al elke dag rennen op het veld?'

Juliano lacht. 'Tante Debbie heeft een kapsalon voor honden.'

'Wat heeft dat met trimmen te maken?' vraagt Fien verbaasd.

'Mensen knip je, honden trim je,' legt Juliano's mama uit.

Fien pakt de lange haren van Sjoerd. 'Misschien kan ze jouw haren ook even trimmen.'

'Echt niet,' zegt Sjoerd. 'Laat jij je eigen haren maar trimmen. Ik ben geen hond.'

De bel gaat. Dat zal Eva zijn. Die had beloofd heel vroeg te komen.

Fien loopt naar de gang en opent de voordeur. Eva zit in een knalrode rolstoel. Achter haar staat haar vader.

Juliano en Sjoerd zijn erbij komen staan.

'Wat een supervette racekar heb jij!' roept Juliano. 'Mag ik er straks mee racen?'

Fien gaat met haar armen in haar zij voor Eva staan. 'Ik mag eerst.'

'Waarom?' roepen Sjoerd en Juliano.

'Daarom,' zegt Fien. 'Omdat ik een dame ben en dames gaan voor.'

Eva's papa kijkt nijdig. 'Er wordt helemaal niet geracet met de kar. Niet door jou, jou en jou.' Hij wijst naar Fien, Sjoerd en Juliano.

'Ik heb heel veel ervaring met karren,' zegt Fien. 'Als ik later groot ben, wil ik ook een kar. Net zoals de palingmevrouw. Maar ik hou wel mooi mijn eigen benen. Papa zegt dat ik de benen van mijn moeder heb. Maar eerst word ik astronaut en daarna autocoureur. Ik ben nu al aan het oefenen met de auto met afstandsbediening. Het is stikjammer dat jouw kar geen motor heeft met afstandsbediening. Dan kun je tegen onze auto's racen.'

Eva's papa hapt naar adem. 'Misschien kunnen we beter even samen naar Bella gaan en dan weer naar huis terug,' zegt hij tegen Eva. 'Dit is me allemaal veel te ruw.'

Hij wil de kar omdraaien en met Eva naar Bella rijden.

'Hè, ga je nu al weg?' vraagt Fien teleurgesteld. 'Dan kun je ook niet in het piratennest.' Ze wijst naar de boom. 'Juliano, Sjoerd en ik hijsen je gewoon met een touw aan je kar naar boven. Net zo gemakkelijk.'

'Net zo gemakkelijk komt daar niks van in,' zegt Eva's papa. 'We gaan naar Bella en dan weer naar huis.'

'Ik wil blijven,' zegt Eva boos. 'Ik wil ook piraat worden, net zoals zij, en ik wil met de auto met afstandsbediening rijden.'

Eva's papa wil de kar duwen, maar ze houdt hem op de rem.

Juliano doet een stapje naar voren. 'Meneer, Fien meent het niet allemaal, hoor. Zo is ze nu eenmaal. We kijken heus wel uit. Ik beloof dat ik Eva heel voorzichtig zal duwen.'

De papa wijst vragend naar Fien.

Juliano schudt zijn hoofd. 'Ze komt niet eens in de buurt.'

Eva's papa denkt even na. 'Vooruit,' zegt hij dan. 'Maar als er ook maar iets gebeurt met Eva, is het morgen meteen afgelopen.'

'Morgen gaan we toch weg,' mompelt Fien.

Fien, Sjoerd, Eva en Juliano zitten al de hele ochtend bij Bella en de puppy's. Ze hebben er een parasol bij gezet. Dan kan de hondenfamilie niet nat regenen.

'Best jammer dat we morgen weggaan,' zegt Fien zuchtend. 'Heb je al namen bedacht voor de puppy's?'

'Papa zegt dat we ze niet allemaal kunnen houden. Ik mag er eentje uitkiezen,' zegt Eva.

'Dan moet je die nemen en hem Blackie noemen,' zegt Fien en ze wijst naar een kleine, zwarte pup.

'Hoezo?' vraagt Eva.

Fien vertelt het verhaal over de schapenhond en dat ze Bella ook Blackie had willen noemen.

'Ik beloof je dat ik mijn puppy Blackie zal noemen,' zegt Eva.

'Zullen we nu met de auto's gaan racen?' vraagt Sjoerd.

'Ik dacht dat je het nooit zou vragen!' roept Fien. 'Wie het eerst bij de voordeur is.'

Ze rennen snel weg.

‘En ik dan?’ horen ze iemand roepen.

Juliano, Sjoerd en Fien houden onmiddellijk halt.

‘Foutje,’ zegt Fien. ‘We moeten er even aan wennen dat we met zijn vieren zijn.’ Ze rent terug en duwt Eva naar de voorkant van het huis. ‘Hoe komt het eigenlijk dat je niet zo goed kunt lopen?’ vraagt ze.

Eva slikt. ‘Papa, mama en ik zaten in de auto. Toen haalde een auto een andere auto in. Hij zag ons te laat.’ Ze bijt op haar lip. ‘Nu zijn papa en ik nog maar met z’n tweeën.’

Fien wijst vragend naar boven.

Eva knikt. ‘Papa maakt zich altijd zorgen over mij.’

Fien zucht. ‘Ik zal jouw papa nooit meer plagen.’

Het is al vier uur. De dag is voorbijgevlogen. Over een uurtje wordt Eva weer opgehaald. Fien heeft gewonnen met racen.

‘Mag ik ook een keer bij jullie piratenschip op bezoek?’ vraagt Eva.

Fien kijkt naar Juliano en Sjoerd. Die knikken.

Fien denkt even na. ‘Eigenlijk moet je wel eerst een piratentest doen.’

‘Ik kan moeilijk in de mast klimmen,’ zegt Eva.

‘Hm,’ zegt Fien, ‘even kijken of we dan iets anders

kunnen verzinnen. Je moet wel laten zien dat je piratenlef hebt, anders kan het niet.' Fien kijkt zoekend om zich heen. Dan ziet ze de auto van Debbie staan. De achterdeuren staan open. Ze ziet nog net dat Debbie het huis in verdwijnt. 'Als jij een scheerapparaat uit de auto haalt, Juliano,' zegt Fien, 'dan moet Eva een hond knippen en scheren. Als ze dat durft, is ze geslaagd.'

‘Waarom moet ik het scheerapparaat halen?’ vraagt Juliano.

‘Omdat je nog maar net piraat bent. Het is een test of je er nog wel bij hoort.’

Juliano moppert wat en sjokt naar de auto.

Sjoerd haalt een hond met heel veel haar uit een van de hokken.

Eva neemt de hond op schoot. Eerst scheert ze er een klein plukje haar af, maar dan schiet de machine uit en zit er een grote, kale plek op de hond.

Eva trekt een beetje bleek weg, maar scheert dapper door.

De hond ziet er niet uit. Overal zijn kale plekken.

Fien kijkt ernstig. Misschien moet hij maar helemaal kaal. Zo is het ook geen gezicht. Het groeit vanzelf weer aan.

‘Maar wat als de hond opgehaald wordt?’ vraagt Eva angstig.

‘Dat zien we dan wel weer,’ zegt Fien.

Dan horen ze een auto toeteren. Het is Eva’s papa.

Gauw laat Eva de hond van haar schoot springen.

Hij blijft braaf voor haar zitten.

Voorzichtig rijdt ze de kar over de haren van de hond, zodat haar vader de plukken niet ziet liggen.

‘Wat ziet dat beest er toegetakeld uit,’ zegt Eva’s papa als hij uit de auto is gestapt. ‘Het lijkt wel een kaalgeplukte kip.’ Hij kijkt naar Fien, Sjoerd en Juliano. ‘Daar hebben jullie toch niks mee te maken, hè?’

Eva kijkt haar vader aan. ‘Nee hoor, papa. Hoe kom je daar nou bij?’

Eva zit in de auto. ‘Hoor ik er nou bij?’ vraagt ze aan Fien.

‘Ja, je hoort er nu helemaal bij,’ antwoordt Fien.

‘Tot morgen!’ roept Eva blij. Dan rijdt de auto weg.

Helemaal als nieuw

Fien, Sjoerd en Juliano zitten aan de ontbijttafel.

'Wat zijn jullie stil,' zegt tante Marjes.

'Vandaag gaan we weer naar huis,' antwoordt Sjoerd.

'Aan alles komt een eind,' zegt Juliano's mama. 'We moeten straks de tassen gaan pakken, want Marco komt ons zo ophalen.'

Fien kijkt lachend naar Juliano. Die staart gauw naar het plafond.

'Blijft Marco daarna bij jullie logeren?' vraagt Fien.

Juliano's mama verslikt zich bijna in haar koffie. 'Hoe kom je daar nou bij?'

'Misschien woont hij een heel eind uit de buurt en kan hij pas de volgende dag weer terug,' zegt Fien. 'Dan moet hij in Juliano's bed slapen en Juliano moet dan op de bank. Misschien kunnen we dan nog flamingodansen met elkaar. Dat zal Marco vast leuk vinden.'

Juliano schudt zijn hoofd. 'Echt niet! Ik ga echt niet op de bank slapen. Het is míjn bed. Het is míjn Ajaxdekbedovertrek.'

‘Marco gaat vanavond gewoon weer naar huis, hoor,’ zegt Juliano’s mama. ‘Juliano kan gewoon in zijn eigen bed slapen.’

Juliano haalt opgelucht adem.

‘Mogen we nog even naar Bella?’ vraagt Fien.

‘Ja, maar eerst je tas inpakken.’

Fien, Sjoerd en Juliano staan bij Bella. Op het grindpad komt Eva in haar rode kar aangereden. Voor haar ene oog zit een ooglapje.

‘Waarom heb je een ooglapje op?’ vraagt Sjoerd. ‘Heb je soms een lui oog?’

Eva schudt haar hoofd. Ze haalt iets uit een zakje. ‘Kijk,’ zegt ze. Ze houdt nog drie ooglapjes omhoog.

Uit een ander tas pakt ze twee piratenhoeden, en ze heeft ook nog een Kapitein Haak-haak waar je je hand in kunt steken, zodat het net lijkt alsof je een haak hebt.

‘Dat heeft mijn papa voor ons gekocht. Dan kunnen we samen als piraat op de foto.’

‘Heb je dan een fototoestel?’ vraagt Fien.

Eva graait weer in haar tas en houdt even later het fototoestel triomfantelijk omhoog.

Ze staan onder de boomhut. Sjoerd heeft met een zwarte viltstift een stoppeltjesbaard op zijn kin getekend.

'Wie moet nou de foto maken?' vraagt hij.

'En waar?' zegt Juliano.

Er komt een auto het erf op gereden. Twee grote jongens stappen uit.

'We komen voor de watermeter,' zegt een van de jongens. 'Wie van de piraten is hier de baas?'

'Ik,' zegt Fien. 'Want ik ben de piratenkoningin van de Kariben.'

'Nou, nou,' zegt een van de jongens. 'Boffen wij even. En die andere stoere piraten? Komen zij ook van de Kariben?'

Fien knikt. 'We hebben thuis ook een piratenschip dat door een groot monster wordt bewaakt. We hebben nu alleen nog even iemand nodig die een foto van ons maakt. Maar dat durven jullie vast niet.'

'Heus wel,' zegt de andere jongen. 'Waar moet dat gebeuren?'

Fien wijst naar de boomhut. 'Daar ongeveer.'

'Nou, klim er dan maar snel in,' zegt de jongen.

'Zij moet een beetje geholpen worden.' Fien wijst naar Eva.

'Je bent helemaal niet veeleisend, hè?' zegt de jongen lachend. 'Wat krijgen we als beloning?'

'Jullie mogen ook met ons op de foto,' zegt Sjoerd.

'Nou, dat kunnen we niet weigeren, hè?'

Fien, Sjoerd en Juliano zitten in de boomhut. De langste van de jongens heeft Eva op zijn schouders gezet. De andere is in de boomhut geklommen en zit op zijn knieën en hangt over de rand van de boomhut.

'Jullie moeten wel mijn voeten stevig vasthouden, hoor!' roept hij naar Fien, Sjoerd en Juliano. 'Anders val ik naar beneden.'

De jongen pakt Eva stevig onder haar armen vast. Eva slaat haar armen om zijn nek en dan trekt hij haar langzaam omhoog. Even later bungelt ze met haar benen over de rand.

De twee jongens staan weer onder de boomhut, met het fototoestel.

Fien zwaait met een tak. Dat is haar zwaard. 'Ahoi!' roept ze.

'Wij zijn de piraten van de Kariben!' gilt Eva.

'Cheese!' roept de jongen met de camera.

'Cheese!' roepen ze nu allemaal.

Ze hebben niet in de gaten dat er een gele auto aan komt rijden. Het is Eva's papa.

Hij schrikt als hij Eva in de boomhut ziet. 'Dat is veel te gevaarlijk,' zegt hij boos.

'Ik vind het keileuk hier en ik blijf lekker zitten,' zegt Eva tegen haar vader. 'Ik mag nooit wat van jou.'

Fien steekt haar duim op naar Eva.

Eva's papa twijfelt even. Dan zucht hij en loopt naar de ladder. Even later zit hij naast Eva.

Fien, Sjoerd en Juliano staan in het gras naast de boom. Dat heeft Eva gevraagd. Ze praat met haar papa.

'Waarover zouden ze het hebben?' vraagt Juliano.

Fien haalt haar schouders op.

'Ahoi!' horen ze iemand roepen. Ze kijken naar boven.

Het is Eva's papa. Hij heeft een piratenlapje op.

'Ahoi!' gilt Eva nu ook. 'Cheese!'

Fien knipoogt naar Eva.

De jongens hebben Eva uit de boomhut geholpen. Ze staan allemaal in het gras.

'Als ik niet uitkijk, is Eva straks net zo ondeugend als jij,' zegt Eva's papa tegen Fien. 'Ik heb een heel nieuwe dochter gekregen. Je bent me er eentje, hoor.'

'Niet één, maar tien. Fien telt voor tien!' roepen Sjoerd en Juliano door elkaar.

Op dat moment komt er nog een auto aangereden. Het is Marco.

‘Wat is de tijd voorbijgevlogen,’ zegt tante Marjes zuchtend. Haar hulp is weer thuisgekomen en de anderen kunnen naar huis.

Ze staan allemaal om Bella en de puppy’s heen.

Eva’s papa vraagt: ‘Welk hondje vinden jullie het liefst?’

Sjoerd, Juliano en Fien wijzen alle drie naar een klein, zwart hondje.

‘We vinden Blackie het leukst,’ zegt Fien.

‘Wanneer kan ik hem ophalen?’ vraagt Marco.

‘Wat bedoel je?’ vraagt Fien.

Marco krijgt een rode kleur. ‘Ik dacht: als ik hem nou neem, dan kunnen jullie er geen ruzie over krijgen. Sylvana kan net zo vaak met jullie langskomen als jullie willen.’

‘Dat lijkt ons heel gezellig,’ zegt Juliano’s mama.

Ze zitten in de auto. Fien draait het raampje open. ‘Jullie mogen best wel een keer bij Sjoerd komen logeren,’ zegt ze tegen Eva’s papa. ‘Dat vindt Sjoerds mama vast heel gezellig.’

Eva’s papa schudt lachend zijn hoofd.

‘Wat is er met mijn hond gebeurt?’ horen ze ineens een vrouw gillen. ‘Hij is al zijn haren kwijt!’

'Hij is helemaal als nieuw,' fluistert Fien.

Juliano's mama kijkt angstig naar de achterbank.

'Geef maar gas,' zegt ze tegen Marco. 'Er is een tijd van komen en er is een tijd van gaan.'

Marco geeft gas en de auto rijdt de oprit af. Fien, Sjoerd en Juliano zwaaien net zolang naar tante Marjes tot ze de bocht om verdwijnen.

Thuis vertelt Fien honderduit over haar vakantie. Het is avond en ze ligt in bed. Haar moeder stopt haar in.

'Ik voel me helemaal als nieuw, net als de kale hond,' zegt Fien.

'Maar jij bent je wilde haren nog lang niet kwijt,' zegt mama lachend.

'Nee, gelukkig niet!' roept Fien. 'Ik ben nog helemaal Fien!'

DE ENIGE ECHTE
Fien
FANCLUB
MELD JE VANDAAG NOG AAN
OP WWW.HARMENVANSTRAATEN.NL
En ontvang het laatste nieuws en
exclusieve Fien-verhaaltjes in je mailbox!